পাথরকুচিমন

তোফায়েল তালহা

চৈতন্য

চৈতন্য

পাথরকুচিমন
তোফায়েল তালহা

স্বত্ব : লেখক
প্রকাশকাল : সেপ্টেম্বর ২০১৯
রচনাকাল : ২০১০-২০১৬
প্রকাশক : মো. জাহিদুল হক চৌধুরী রাজীব
ব্লু ওয়াটার শপিং সিটি (লিফট-৬) জিন্দাবাজার, সিলেট।
rajibchowdhury92@gmail.com
০১৭১৮২৮৪৮৫৯

প্রচ্ছদ : রনি দত্ত
মুদ্রণ : শব্দমালা অফসেট প্রেস, সিলেট।
অনলাইন পরিবেশক : rokomari.com

টাকা : ১২০

Pathorkuchimon
By Tufayel Talha
First Published at September 2019
Published by CHAITANYA, Sylhet
Tk. 120 Only, Rs. 100 Only

ISBN : 978-984-93417-3-4

জিজ্ঞেস করো ব্যথাকে
আড়ালে তার- কে থাকে?

ব্যথার আড়ালে যে থাকে, উৎসর্গও তাকে!
নিশ্, ভালবাসা নিস!

কবিতাক্রম

চৈতালি চিঠি

শহর জুড়ে বিমর্ষ সুর,
চৈত্র মাসের একলা দুপুর-
বিষণ্নতার ক্লান্ত দুহাত বাড়ায়..

ডাক দিয়ে যায় কে আবারো,
কানের কাছে- বলছে- 'ফেরো'-
অলক্ষে কে চোখের সামনে দাঁড়ায়?

চমকে তাকায় সন্ধানী চোখ!
তীব্র সে ডাক, শব্দে নিচু-
তখনই এক দমকা হাওয়া এসে..

আবার করে অন্যমনা,
অতর্কিতে আঙুল গুণা-
বিস্মিত চোখ বিস্মৃত হয় শেষে..

অতীত-স্মৃতির সে ভীড় ঠেলে,
বর্তমানে ফেরত এলে-
দুপুর তখন বিকেল পথে গড়ায় ..

শহর জুড়ে কী আয়োজন!
চৈত্র মাসের বিকেল তখন-
জরাজীর্ণ উদাস দুহাত বাড়ায়..

যখন আবার খুব একাকী,
হঠাৎ সে ডাক 'ফিরবে নাকি?'
চোখ কেড়ে নেয় সে ডাক চৈত্রমাসি..

আজ যে প্রিয় যায় না ফেরা,
বাস্তবতায় জীবন ঘেরা-
জানিস তবু- তোকেই ভালবাসি...

ইচ্ছেগুলো তোমার মত

আমারও তো ইচ্ছে ছিল, ইচ্ছে ছিল তোমার মত..

সহজ সরল জীবন যাপন- অবিক্ষত অবিরত,
নেই লুকনোর গল্প কোনও- অমার্জিত, অনাহুত,

এমনটি নয়, ঠিক এরকম শরীর ও মন অসঙ্গত,
সময় মাঝে আটকা পড়া- থতমত, ইতস্তত,
বয়েস-ধাঁধাঁয় অবাক দু-চোখ বিব্রত ও আতঙ্কিত!

আমারও তো ইচ্ছে ছিল, ইচ্ছে ছিল তোমার মত!

হাত বাড়িয়ে হাত চেয়েছি- সলজ্জিত, অনুদ্ধত,
সব পেয়েছি, প্রার্থিত দু-হাত ব্যতীত, আকাঙ্ক্ষিত!

কেন আমার পা বাড়ালেই পথ বাড়ে আজ ক্রমাগত?
কেন আজ এই অন্ধকারেই জীবন আমার আবর্তিত?
রাত পোহালে ভোর না হয়ে আরেকটা রাত আবির্ভূত?

আমারও তো ইচ্ছে ছিল, ইচ্ছে ছিল তোমার মত...
বুকের কাছে সস্মিত-মুখ, বিস্মিত আর অভিভূত !

পোষ্য

একটা-দুটা প্রেমিক পোষো? একটা-দুটা?
বৃষ্টি ঝড়াও? বৃষ্টি আজো- লক্ষ-ফোঁটা?

আজো ফুঁ-তে প্রেমিক ওড়াও? নিজে ওড়ো?
এখন কাউকে সত্যি ভালবাসতে পারো?

আমি? সে তো আগের মতই..ভাঙ্গা-টুটা
তুমি আজো প্রেমিক পোষো একটা-দুটা?

একটা-দুটা প্রেমিক পোষো? একটা-দুটা?
গম-জিরা-ধান-স্বপ্ন খাওয়াও রোজ কিছুটা?

'আয়!' বলে ডাক ডাকলে তারা আসছে ছুটে?
'শ্‌শ্‌!'- তাড়ালে, পায়ের কাছে দিব্যি লুটে?

আমার বাঁচা ক্যালেন্ডারেই, বোধ-শনি-সোম,
তোমার কথা বল, ক'টা প্রেমিক পোষো?

এইসব দিন রাত্রি

তার রাত্তিতে আসে পাখিরা, বুকে শব্দেরা থাকে চুপচাপ
তার চোখের কাজল অধরে গড়াবে, নামলে বৃষ্টি টুপটাপ
তার নাকফুল আজ খুঁজেনা সে, তার শেকল হয়েছে কঙ্কণ
তার নূপুরেরা যেন বেড়ি হয়ে আজ দু-পায়ে বাজে- ঝনঝন
তাই রাত্রি-দুপুর জেগে থাকা তার, গ্রীষ্ম কিংবা শীতকাল
আর বুকের পাঁজরে বন্দি করে সে- হাজার মৌন-চিৎকার

তার কানের দোলেরা দোলে না কানে, মাথায় ঝুলে না টিকলি
তার লিপস্টিক আর নেইলপলিশেরা শোরগোল করে বিশ্রী
তার হাতের মেহেদী হয়ে যায় ধীরে- কালচে থেকে ফ্যাঁকাসে
তার চুলের ক্লিপটা, লালচে টিপটা- জানায় আজকে একা সে
তাই অনন্যোপায় দিশেহারা মনে নিজেকে দেয় সে ধিক্কার
আর বুকের পাঁজরে বন্দি করে সে- হাজার মৌন-চিৎকার

তবু রাত চলে যায়, দিন আসে ফের- উঠে ঠিকই ঐ সূর্য
তার শহরও তবু প্রাণ ফিরে পায়- বাঁচবার চলে তোড়জোড়
শুধু ডেকে যায়, ডেকে-ডেকে বলে যায়- পড়নে হাতের ব্রেসলেট
যদি থাকলো না হাত হাতের মুঠোতে, এক সাথে কেন হাঁটলে?
কোনমতে তবু দিন চলে যায়, রাত্তিতে একই গীত তার
আর বুকের পাঁজরে বন্দি করে সে- হাজার মৌন-চিৎকার ..

দুটো প্রেমের কবিতা

১

তখন আমার আঠারই হবে, তোমারও হয়তো ষোলো
প্রথম প্রেমের আহবান আমি কিভাবে এড়াই বলো?

"এই রাস্তাটা বড়ই শক্ত"- দেখিয়েছি অজুহাত
"অনেকে দেখেছি ঝরিয়ে রক্ত, ছেড়ে দেয় শেষে হাত",

"ফিরে যাও তুমি"- যদিও বলেছি, তবুও কি বাঁচা গেলো?
প্রেমের এ পথে নামিয়ে তোমাকে- আমারও নামতে হল!

প্রেমের এ পথে নামিয়ে তোমাকে- আমারও নামতে হল...

২

তখন আমার সাড়ে সতেরো- তোরও পনের সবে
তুই এসে জল ঢেলে দিয়ে গেলি আমার শুকনো টবে !

জল পেয়ে তরু মাথা তুলে দিলো- হেসে কৃতজ্ঞ হাসি
এ পরিচয়ের নাম দিলো লোকে- প্রেম ভালোবাসাবাসি

'প্রেম' বলে কেউ, কেউ 'কালক্ষেপ', যা বলে বলুক লোকে
তুই একদা আমাকে চাইতি- আমিও চেয়েছি তোকে!

তুই একদা আমাকে চাইতি- আমিও চেয়েছি তোকে ...

খয়েরী ডায়রীটা

এখন তো আর সেই দিনগুলি নেই-
ছোট্টকালের পবিত্র প্রেম-প্রীতি,
আঠারো পেরিয়ে উনিশে পড়েছি যেই-
জীবন ধূসর- রঙচঙে হল স্মৃতি..

জানা ছিল না এইসব হালচাল-
জানা ছিল না বিয়ের এ রাজনীতি,
জানতাম শুধু টোল পড়া ঐ গাল-
লালচে চুলের বাম পাশে দেয়া সিঁথি..

হারিয়ে পাওয়া খয়েরী সে ডায়রীটা-
খয়েরী, কিন্তু- আহা কত না রঙিন!
বিবর্ণ আজ গোলাপের পাপড়িটা-
বিবর্ণ নয় সেই সব প্রিয় দিন ...

বিবর্ণ নয় সেই সব প্রিয় দিন...

বৃষ্টিতে আমি ভিজেছি অনেক

বৃষ্টিতে আমি ভিজেছি অনেক- মেঘে মেঘে কত উড়েছি
আগুন পুষেছি বুকেতে অনেক- শ্মশানে-চিতায় পুড়েছি..
আমি বাস করে গেছি কবরে অনেক- অনেক আঁধারে থেকেছি
শুধু চলে যেতে দিতে পারিনি তোমায়- বারে বারে কতো ডেকেছি..

ভুলেও তুমি আসবে না জানি- নেবে না টেনে কাছে-
তোমায় যদি হারিয়েই ফেলি- সবই মিছে, সবই মিছে..
আর যদি তবু স্মৃতিরা কাঁদায়- জেনে নিয়ো, জেনে নিয়ো-
প্রেম! -সে তো মরে না কখনো- ফিরে এসো তুমি প্রিয়..

ফিরে এসো তুমি শুন্য এ বুকে- ফিরে এসো বাহুডোরে,
ফিরে এসো তুমি নয়ন সমুখে- ফিরে এসো হুট করে..
চমকে দিয়েই ফিরে এসো তুমি- এসেছো যেমন করে-
যখন পৃথিবী সাদাকালো ছিল- আপোষে- শিকল পড়ে ...

আর্তি

কেউ তোমাদের ছিলাম নাকি?
জীবন গেল- শুন্য খাতা,
একলা ছিলাম, একলা থাকি-
বুকের ভেতর জন্মব্যথা . .

পোষেই দিব্যি যাচ্ছি বেঁচে-
কার আসে-যায় কী বা তাতে?
হৃদয় সেঁকে হালকা আঁচে,
কামড় বসাও হিংস্র দাঁতে..

না, ভেবো না আমায় নিয়ে-
কে আজ আমি আর তোমাদের?
মন-দেহকে সামাল দিয়ে-
কারো বাঁচাই আর্তনাদে..

দুঃস্বপ্নের বিভীষিকায়-
থাকছি বেঁচে বাস্তবেও,
অহংবাদের অনলশিখায়-
পুড়লে হৃদয়- আস্ত খেয়ো . .

নানান লোকের নানান ধরণ-
বুঝিনি কী মুল্য কাদের,
আড়াল হলেই যে বিস্মরণ-
আপন ভাবি ভুল লোকেদের..

বিপর্যয়ের এই মিছিলে-
জিজ্ঞাসা নয়, আর্তি রাখি,
তোমরা কি কেউ আমার ছিলে?
কেউ তোমাদের ছিলাম নাকি?

খুনির গান

তিনটি বছর থেকে আজো মাথায় তার ঘুরছে খুন
গিটারটার তার কাঁপিয়ে একটা খুনি গাইছে, শোন্
খুনের নেশা ছিল না তার- অন্য সকল লোকের মত
সেও ছিল আপন মনে, না ছিল তার বুকের ক্ষত
বাতাস ভরে ঘুরতো তখন সেই মনেরই গুনগুন
গিটারটার তার কাঁপিয়ে একটা খুনি গাইছে, শোন্ ..

বছর ছয়েক আগের কথা, তখন ছিল এমন দিনই
সুখের দিনে হাত বাড়ালো মানুষরূপী মায়াবিনী
তন্ত্রে-মন্ত্রে মন ভোলালো- করলো আপন নানান ছলে
যাদুবলে মনটি কেড়ে- মরা দেহ রাখলো ফেলে
এমনই করেই নষ্ট হল, সেই খুনিটির এই জীবন
গিটারটার তার কাঁপিয়ে একটা খুনি গাইছে, শোন্..

সেই মেয়েটার খুঁজে আজো এই খুনিটা বেঁচে আছে
যে চোখে তার স্বপ্ন ছিল, সেই চোখে আজ রক্ত নাচে
রক্ত কিছু মনেও লেগে, সকাল-দুপুর-সন্ধ্যা-সাঁঝে
খুন করে সে, খুন করে সে, সেই মেয়েকে মনের মাঝে
গানের সুরে শোনাচ্ছে সে মৃত্যুপুরীর নিমন্ত্রণ
গিটারটার তার কাঁপিয়ে সেই খুনিটাই গাইছে, শোন্...

ভালো আছি ভালো থেকো

আমি একলা জাগি রাতি
আমার কবিতা আজ সাথী
আমার কিছুতে নেই তাড়া
ভালো আছিই তোমায় ছাড়া

আমার অসহ্য হয় আলো
আমার একলা থাকাই ভালো
আমি চাই না শব্দ-সাড়া
ভালো আছিই তোমায় ছাড়া

আমি উড়াই ইচ্ছে ঘুড়ি
অচল লোকের জারিজুরি
আমার নিজের হাতেই নাটাই
দিন নিজের মতই কাটাই

আমার ইচ্ছে হলেই 'ধোঁয়া'
ইচ্ছে হলেই হাতটি ছোঁয়া
আমি হারলাম বল কিসে?
আমার কিছুতে নেই নিষেধ

আমি পান করি যা 'পেয়'
পারলে একটু দেখে যেয়ো
আমি আছি অসাধারণ
আমার কিছুতে নেই বারণ

মাঝরাতের এই ক্ষণে
পড়ে তোমার কথা মনে
হয়তো একটুকু মন খারাপ
তবু ভালই তোমায় ছাড়া...

আড়াই কিংবা তিরিশ

তুমি অন্য লোকের নতুন সুখের নাম-
তুমি অন্য বুকের রোমে নিচ্ছ শ্বাস,
হে অন্য কারো প্রিয়তমা ভুলো-
তোমার-আমার নষ্ট তিরিশ মাস...

হে অন্য কারো মনপ্রেমিকা শুনো-
তার কাছে সব রেখে অগোচর,
ঐ আংটি পড়া অনামিকায় গুণো-
তোমার-আমার নষ্ট আড়াই বছর...

আড়াই কিংবা তিরিশ, যেটাই বলো-
আছি আমি আজো যে আটকে,
তোমার দেয়া শেষের অবহেলায়-
শেষের দিকের কয়েকটা বাক্যে...

এই কবিতাও শেষের দিকে প্রায়-
শুধু শেষ হল না বুকের দীর্ঘশ্বাস,
হে অন্য কারো প্রিয়তমা ভুলো-
আড়াই বছর, কিংবা তিরিশ মাস...

শুধু তুমি ছিলে

প্রতি নিঃশ্বাসে হয় জীবনের নিঃশেষ- প্রতি বিশ্বাসে আজ যন্ত্রণা মেলে
তবু সান্ত্বনা পাই অশান্ত হৃদয়ে- একদিন এই বুকে শুধু তুমি ছিলে
প্রতি পদক্ষেপে পথটাই বাড়ে শুধু, প্রতি পদচিহ্নে স্মৃতি কথা বলে
সবকিছু পিছে ফেলে সামনে এগোই ঠিক- একদিন এই বুকে শুধু তুমি ছিলে

তোমায় খুঁজেছি আমি হয়তো বা পাইনি- হয়তো বা বয়েছি একা এই বোঝা
তবু দেখো আজ আর আমি দুখি নই তো- তুমি ছিলে তাই আজ তোমাকেই খোঁজা
তোমায় খুঁজেছি আমি ঘুরে ঘুরে কত দুর- তোমায় খুঁজেছি বুকে মশাল জ্বেলে
তোমায় খুঁজেছি আমি- হয়তো বা পাইনি- তবু সান্ত্বনা বুকে-তুমি ঠিকই ছিলে

তুমি হয়ে এসেছিলে আকাশের নীল রঙ- যখন আকাশ ছিল ধুসর কালো
তুমি হয়ে এসেছিলে ভোরের বাতাস যেন- তুমি জ্বেলেছিলে মনে সুখের আলো
দুপুরের ঝলসানো আগুন সে রোদে তুমি- যেন হয়ে এসেছিলে শীতল ছায়া
তুমি হয়ে এসেছিলে চাতকের মেঘজল- তুমি এসেছিলে তাই জুড়ালো কায়া

প্রতি দর্শনে হয় সময় নষ্ট আজ- প্রতি ঘর্ষণে শুধু আগুন ওঠে
প্রতি চুম্বনে শুধু বিষ ঠোঁটে ঢুকে যায়- প্রতি আশ্লেষে আজ বঞ্চনা জোটে
প্রতি প্রেমিকার মুখে তোমার আদল খুঁজি- প্রতিবারের মত আশাহত হলে
সান্ত্বনা খুঁজে ফিরি অদ্ভুত যুক্তিতে- একদিন এই বুকে শুধু তুমি ছিলে !

ভ্রম

শব্দেরা সব শরীর সেঁটে
খামচি মারে বুক পকেটে
গানের খাতায় মরা কোষের ধুল পরে ।

তবু আমার নেই তো ছুটি
হাঁটতে গেলেই থমকে উঠি
অন্য কাউকে সে ভেবে রোজ ভুল করে ।

শহর আমার, স্বপ্ন ভাঙার
গল্প বল নীরবতার
বালিশ বুকে অবাক হবার ভান করি!

হিপোক্রেসির এই বাজারে
নিজেকে আজ ঘেন্না করে
নইলে কি রোজ নিয়ম করে স্নান করি?

শহর আমার, গল্প বলো
বাস্তবতাও অল্প বলো
আলোর সাথে আঁধার মেশাও একমুঠো।

আমার কাছে মাতৃভূমির
মানে এখন শুধুই তুমি
চড়ুই পাখির বাসা যেমন খড়কুটো।

সুখি লোকের সেই তালিকায়
নাম লিখেছে মেঘবালিকা
শহর, তুমি জানোই তো সব এই আমার..

আমি এখন শিউলি দলে
আমার মরণ সকাল হলেই
সাধ-আহ্লাদ আগের মতন নেই আমার।

পাথর চাঁপা হলদেটে ঘাস
সে হাল আমার বুকের বাঁ পাঁশ
এক জীবনে যা দেখেছি নিজ চোখে।

কাব্যে কী আর বলবে কবি
শহর, তুমি জানোই সবই
কার বা চোখের জলে এখন ভিজছে কে!

চেয়েছিলাম কী বা এমন
খুব সাধারণ একটা জীবন
তুমি ছুঁলে মুছবে ক্ষতের চিন্টুকু।

তা নয়, তোমার, রাস্তাঘাটে
নামলে ফেরাও স্মৃতির হাটে
তা নয়- শহর, রাত্রি দেখাও, দিন দুপুর !

প্রথম পুরুষ

আমি তোর চোখের ভেতর জমে ওঠা কয়েক ফোঁটা মেঘ
আমি তোর মেঘ থেকে জল... ছুঁয়েই কপোল... গিয়েছি থেমে
আমি তোর ঠোঁটের হাসির প্রখর রোদে পুড়ে যাওয়া ছাদ
আমি তোর প্রথম পুরুষ, আমার বুকেই মুখ লুকিয়ে কাঁদ!

আমি তোর রিনিঝিনি হাসির আওয়াজ, সোনামণি- শোন্
আমি তোর অশ্রুভেজা চোখের কাজল, বুকের আলোড়ন
আমি তোর স্বপ্ন দেখে হুহু বুকের তুখোড় আর্তনাদ
আমি তোর প্রথম পুরুষ, আমার বুকেই মুখ লুকিয়ে কাঁদ!

আমি তোর এক দুপুরের মেঘের ছায়া, আটকে দেয়া রোদ
আমি তোর একলা একার চমকে দেয়া কী এক আজব বোধ
আমি তোর ঝড়ের ক্ষণে বন্ধ ঘরের আকাশ দেখার সাধ
আমি তোর প্রথম পুরুষ, আমার বুকেই মুখ লুকিয়ে কাঁদ!

আমি তোর এক খেয়ালী বিকেল বেলার পাথরচাপা ঘাস
আমি তোর রাত্রিবেলার ঘুম ভাঙানি, ছোট্ট দীর্ঘশ্বাস
আমি তোর প্রথম ব্যথা, জিভের ডগায় প্রথম নোনতা স্বাদ
আমি তোর প্রথম পুরুষ, আমার বুকেই মুখ লুকিয়ে কাঁদ!

আমি তোর সন্ধ্যেবেলার উদাসক্ষণে এক বিবাগী সুর
আমি তোর দূরে থেকেই কাছে দেখা, কাছে রেখে দূর
আমি তোর কান্না পেলে জাপটে ধরার, ভরসা দেয়া কাঁধ
আমি তোর প্রথম পুরুষ, আমার বুকেই মুখ লুকিয়ে কাঁদ...

সন্ধ্যের কবিতা

দুখগুলো রাখা আছে বুক-পকেটে-
কিছু স্মৃতি আজো লেগে এই লকেটে,
এইখানে ছিল প্রেম, তর ছবিটা-
তর ছবি দেখে লেখা সেই কবিতা-
হঠাৎ পড়লো মনে- একই ছন্দে-
লিখে নিলো এই ছড়া, এই সন্ধ্যে...

সময় যাচ্ছে বয়ে নিজ গতিতে,
আমি আটকে আজো সেই অতীতে !
ফেলে আসা সেই হাসি, মান-অভিমান
সন্ধ্যা নামলে ফেরে বুকের তুফান ।
বান ডেকে যায় যেন প্রতি রন্ধ্রে-
লিখে নিলো এই ছড়া- এই সন্ধ্যে ...

তবুও ভরসা মনে- এই আকালে
সবকিছু ঘুরে যেত তুই তাকালে !
তাকাবি না জানি, তবু- কেন যে হঠাৎ-
সন্ধ্যা নামলে ফেরে বুকের আঘাত ।
সত্যি কি তাকাবি না? দ্বিধাদন্দ্বে-
লিখে নিলো এই ছড়া- এই সন্ধ্যে...

আরও একটি প্রেমের কাব্য

আবারো ছড়ার ছন্দে, ইচ্ছে ছুটে ছন্নছাড়া
যা ছিল অযাচিত, অপ্রার্থিত- খুব অভাব্য
আবারো নামলে সন্ধ্যে, নাম ডেকে যায় অন্য কারা
আবারো তরই জন্য লিখছি অন্য প্রেমের কাব ..

আবারো বাঁচতে শিখি, আলোর আশা আঁকড়ে ধরে
ভাবিনি এমন দিনে নিবিই কিনে আমার আষাঢ়
আবারো বলছে ঠিকই, এ মন- 'আশা থাক্ রে ধরে'
বুঝিনি নতুন গানে-জানবো মানে ভালবাসার..

আবারো শিউলি গন্ধে ছড়ায় কী এক মাদকতা
জানিনি এক থেকে দুই, তুলবিই তুই- হাতের কাঁপন
আবারো শব্দে ছন্দে আধো কাব্য, আধো কথা
এ মনে স্পর্শ দিবি, সব ভুলাবি, করবি আপন ..

আবারো চমকে দাড়াই প্রেমের সে তীর হৃদয়বিদ্ধ
ভাবিনি দিন দুপুরে- নতুন সুরে তোকেই ভাববো
আবারো থমকে দাড়াই, বলুক লোকে বোকার হদ্দ
লিখে যাই তর কারণেই এমন দিনে প্রেমের কাব্য!

আবারো তর কারণেই এমন দিনে প্রেমের কাব্য ...

তোমার নামে

এরচে' বরং আমার নামে কুত্তা পালো শান্তি পাবে
এরচে' বরং দরজা সেঁটে একলা রুমে গালি দিও, ক্লান্তি যাবে

দশটা-পাঁচটা ছেলের সাথে জিনা করো
পারলে আমায় একটু বেশিই ঘৃণা করো
তোমার মতন বোরকাওয়ালী নারীবাদী অনেক দ্যাখা
আমার ওমন নষ্ট নারীর নেই প্রয়োজন

কষ্ট পেলে?
এখন আমি ভ্রষ্ট যুবা
ইষ্ট কথা মিষ্ট বুলি বেরোয় না আর এ ঠোঁট দিয়ে
যে ঠোঁট তোমার ঠোঁটের মাঝে থাকতো সেঁটে রাত্রি-দুপুর

ওয়াক! থুঃ থু!

আমার কিন্তু নেই অনুতাপ অতীত নিয়ে
যা হবার তা হয়েই গ্যাছে
সে সব কি আর ইচ্ছে হলেই পাল্টানো যায়?

এরচে' বরং এই ভালো, একলা রুমে গালাগালি
এরচে' বরং এই ভালো, তোমার নামে কুত্তা পালি...

সে ও তারা

গুটিয়েও হাত- পেয়েছো হাতের পরশ
যাকে চেয়েছিলে- তার মত, তবু- সে না
তবুও তাকেই 'সে' ভেবে জাপটে ধরো
নয়তো মুঠোতে মুঠো আর থাকবে না..

রাত হলে আজো আছে কেউ মুঠোফোনে
ঘুমে যাকে ভাবো- হাহাকার বুকে- সে না
তবুও এ রাত কাটাও তাকেই শুনে
নয়তো মুঠোতে মুঠো আর থাকবে না..

না দিয়েও ঠোঁট- পেয়েছো পরশ ঠোঁটে
এই ঠোঁট নয় - সে ঠোঁটের মত চেনা
তবুও এ ঠোঁট দাও দাঁত দিয়ে খুঁটে
নয়তো ঠোঁটেতে ঠোঁটও আর থাকবে না...

ঘুমাও সোনা

শ্রান্তি তোমার দু চোখ জুড়ে,
শান্তিতে আজ ঘুমাও সোনা
আমার শুধু ঘুম আসে না
আমারই শুধু ঘুম আসে না...

রাত্রিগুলো শেষ হয়ে যায়
কল্পনাতে, দীর্ঘশ্বাসে
রাত্রি শেষে আমার শুধুই
আরেকটা যে রাত্রি আসে ..

হৃদয় ছুঁয়ে কী বিস্ময়ে
আর্তনাদে এক বাসনা
আমার শুধু ঘুম আসে না
আমারই শুধু ঘুম আসে না ..

অপার্থিব এক অচিন ব্যথায়
পাঁজরগুলো ন্যুব্জ ভীষণ
বুকের ভেতর হাতড়ে অবাক
শব্দেরা আজ খুব জীবিত ..

অবসাদে ঘুমোও তুমিই
শব্দ শুনে চমকাবে না
আমার যে আজ ঘুম পাবে না ..
ঘুম পাবে না, ঘুম পাবে না...

ফিরবে নাকি?

যখন সে হাত আঁকড়ে ধরে বুকের ভেতর
মিথ্যে যুক্তি আর মানে না গদ্যে-পদ্যে,
যখন এ মন হিসেব মেলায়- 'আপন কে তর?'
সেই জবাবও ছুড়ি বসায় বুকের মধ্যে...

যখন মগজ খাচ্ছে কুঁড়ে ভাবনা পোকা
কষ্ট শুনে বন্ধুরাও হৃদয় মাপে,
যখন তীব্র বর্তমানেও অতীত-টোকা
যাচ্ছি হয়ে ভবিষ্যতের খেলনা পাপেট...

যখন সে রাত ভর করে রয় বুকের বাঁ-পাঁশ
ভেদ করে যায় উদাস দৃষ্টি ছাঁদের দেয়াল,
যখন পালঙ্ক শুয়ে শুয়েই মেঘ-আর-আকাশ
ডানা ভেবেই হাত দুটোকে ছড়িয়ে দেয়া...

যখন হৃদয় উলটে ঢেলে মনের কথা
তারপরেও কেউ বুঝে না কথার মানে,
যখন আবার হাত বাড়াতেও ইতস্ততা
প্রতারণার অর্থ কারণ- হৃদয় জানে...

যখন তুমুল দিন-দুপুরেও সব ডাকাতি
দেখছি সকল উজাড় হতে- অনন্যোপায়,
যখন আবার সব হারিয়ে হাড়-হাভাতি
ফিরছি আবার চির চেনা নির্জনতায়...

যখন আমার নিরর্থ হয় সব আয়োজন
মানুষ আমি বদলে গিয়ে ফের সাবেকী,
যখন আবার এই তোমাকেই খুব প্রয়োজন
তখন তোমায় ডাকলে তুমি ফিরবে নাকি?

তোমায় দেখার ইচ্ছে হল ফের

মন-মগজ আজ মধ্যবিত্ত
কবিতারা স্বরবৃত্ত
অন্ত্যমিলে আটকে নিত্য থাকি

শরীর-দেহ ঘেন্নাক্লান্ত
কিছুতে নেই আগের টান তো
যা জানতো মন- সত্যি জানতো নাকি?

দু-কান এখন মুঠোফোনের
যন্ত্রগত কথা শুনে
কাড়ছে না আজ সে রিংটোনে ঘুম

নেই কবেকার ক্লাশ পালানো
শরীর-মনকে ফের ঝালানো
আঙুল ছোঁয়ায় ঠায় দাঁড়ানো লোম

জীবন মানে যখন 'যাপন'
চৌকোণা বক্স আবার আপন
হৃদয়টাও সামলে চাপও ঢের

তবুও কেন হঠাৎ বল
সকল হয়ে ওলট-পালট
তোমায় দেখার ইচ্ছে হল ফের?

ভুল হাতে, ভুল খাতে

তুমি বরং অন্য কোথাও থাকো
অন্য হাতের মুঠোয় আঙুল রাখো
সব হারিয়ে নিঃস্ব আমি এবার
নেই কিছু আর এই তোমাকে দেবার...

তুমি বরং অন্য কারো চোখে
আকাশসম স্বপ্নদ্যোতি ছড়াও
সদলবলে সুতীব্র উৎসুকে
যুবক-কুলকে আবার প্রেমে পড়াও...

বাউলরঙা এই মন আজ দেখো
সন্যাসব্রত পালন করছে এখন
কামভরা প্রেম আর টানে না তাকে
পড়বে না সে বাঁধা-ও সাতপাকে

তুমি বরং অন্য কাব্য গানে
শুনো তোমার বন্দনা-গুণ-স্তব
এই সংসার বাউলকে না টানে
কী করে আজ আমি তোমার হবো?

হাত পেতেছো অনাশ্রিতের কাছে?
খুঁজে দেখো, তাদের কাছেই আছে
আরাধনা-ভক্তি-পুঁজো-সেবা
আমার কিছু নেই তোমাকে দেবার

তুমি বরং বাঁচো নতুন নামে
দৃষ্টি-শ্রুতি-স্বাদ ও স্পর্শ-ঘ্রাণে
রাগ-মোহ-লোভ, হিংসা-দম্ভ-কামে
ছাপ ফেলে না এই উদাসী মনে

চায় না বাউল বিমূঢ় দুখ-প্রেমও
তুমি বরং অন্যের হও, কেমন?

কান্না

একাকী জীবন গেল, এই আমাকেই চিনলে শেষে-
শেষমেশ আমার দোরেই থামলো তোমার কান্না এসে,
বলেছি 'হাল ছেড়ে দাও, ঘাটে এবার ভেড়াও তরী-
এবারে শান্তি করো, খোদার দোহাই! জুড়াও শরীর!'

কষ্টের ভান করেছো? নাকি ঐটা ভান না তোমার?
জানি না, জানি শুধু আমার দোরেই কান্না তোমার...

যাচিত প্রেম ঢেলেছো ভুল দু-হাতের ভুল আঁজলে-
যাপিত দুঃখ-গ্লানি ঢাকছোও তো ভুল কাজলে,
এবারে তোমার মনের অসুখটাও আরোগ্য হোক-
যে তোমায় না চেয়ে পায়- সেও তোমার অযোগ্য হোক!

তারা যা গাইছে জেনো, তোমায় নিয়ে- গান না তোমার,
নয়তো আমার দোরেই ঠাঁই নিতো কি কান্না তোমার?

সে খোলা বইয়ের মতন আমায় তুমি পড়লে পড়ো-
তোমাতেই জন্ম আমার, এই তোমাতেই হচ্ছে মরণ,
শরীরের দাগ থেকেও গভীর কিন্তু মনের দাগই-
হলামই না হয় এবার দুজন সমান পাপের ভাগী..

তারা চায় শরীর শুধু ভালবেসে, প্রাণ না তোমার,
তাইতো আমার দোরেই ঠাঁই নিয়েছে কান্না তোমার...

অর্ধ-জীবন

আজ পাশে পেয়ে ফিরে দেখছো না- দেখছো না ছুঁয়ে, প্রিয়
যে দিন রবো না পাশেতে তোমার- সেই দিন খুঁজে নিও..

অভিমানী হয়েই জন্মেছিলাম, তাইতো এমন হাল
জানি না এ মান পারবো লুকিয়ে রাখতে যে কতকাল..

আমারে বন্ধু অচেনা লাগলে এই গানে সুর দিও
যে দিন রবো না পাশেতে তোমার, সেই দিন খুঁজে নিও..

অবহেলা নিয়ে শৈশব গেলো, কৈশোরে পরবাস
বাবা তো মরেছে অনেক আগেই- ভাইয়ের অন্নদাশ..

সাধ-আহ্লাদ ছিল না কখনো- আজো যে করি না আর
অরুচি লেগেছে কামনায়, যেথা- শুধু ভয় হারাবার..

চাওয়ার যে আর রবে না কিছুই হারিয়ে গেলে তুমিও
যেদিন রবো না পাশেতে তোমার, সেই দিন খুঁজে নিও...

সবই যে বৃথা

শব্দে-ছন্দে ভরা গানের খাতা,
সবই যে বৃথা, প্রিয়- সবই যে বৃথা...

কত অলিগলি, কত রাস্তা ঘুরেছি-
তোমায় খুঁজতে গিয়ে হৃদয় খুঁড়েছি,

কড়া নেড়েছি আমি কত দোয়ারে-
কত-কত ভেসেছি বিরহ জোয়ারে,

আপন করেছি কত অগ্নি-ধোঁয়া-
তবুও হয়নি প্রিয়, তোমায় ছুঁয়া,

ঘুরে ঘুরে এতো সুরে তোমায় খুঁজেছি-
এতো দূর এসে আমি আজকে বুঝেছি,

আমি খুঁজি সুরে তুমি হও নিরবতা,
সবই যে বৃথা, প্রিয়- সবই যে বৃথা...

সবহারাদের দলে

আজ কোথায় তোমার চোখের পানি? কোথায় ভাঙা হৃদয়খানি?
কোথায় তোমার হারানো প্রণয়?

আজ কোথায় তোমার বুকের গ্লানি? কোথায় বলো অভিমানী-
হাত ফেরালেই সব হারানোর ভয়?

হারিয়েছো যা হারাবার, ভয়টা তাই নেই যে তোমার
আজকে তুমি সবহারাদের দলে!

আজ কেউ কি আছে ব্যথা নেবার? কেউ কি আছে দুঃখ দেবার?
কেউ কি টানে ভালবাসে বলে?

আজ কেউ কি জানে মনের কথা? কথার ভাঁজে নীরবতা?
কেউ কি আনে হঠাৎ শিহরণ?

আজ কোথায় তোমার হারিয়ে গেল সর্বনাশা ভালোবাসা?
বারে বারে সাধ করে মরণ!

আজ হাত বাড়ালেই হাতটা আছে, লেনদেনের এই রাতটা আছে-
আছে এই মেকী সুখের সাজানো সংসার,

আজ সংসারের এই ব্যবসা হাটে, দিনটা ঠিকই যাচ্ছে কেটে-
চার ঠোঁটের এই মিলন ঘাটে হচ্ছে সময় পার,

তবু নেই সেদিনের ফেলে আসা, বুকের আশা, ভালোবাসা
ফেসবুক আর মোবাইল ফোনের মধুর অত্যাচার...

অভিমানী...
অভিমানী, আত্মগ্লানি যতই থাকো ভুলে,

হারিয়েছো যা হারাবার, ভয়টা তাই নেই যে তোমার-
আজকে তুমি সবহারাদের দলে!

বৃষ্টি

বৃষ্টি তোমার পড়ছে আজকে
লাল-সাদা ঐ ছাতা বেয়ে,
আমারও আজকে নামবে বৃষ্টি-
আবার চোখের পাতা বেয়ে..

গ্রীষ্মের এই আগুন শেষে
চাইছো মেঘে ভরসা তুমি,
আমিও ভাবছি দেখুক দু-চোখ
সজলঘন বরষা চুমি..

চোখের কোণায় ঝিলিক তোমার-
ঐ মেঘেরা জমলো বলে,
আমারও দু-চোখ ভেজাবে বৃষ্টি-
এইতো সবে নামলো বলে...

ক্ষমা করো বন্ধু

আমিও তোমায় করলাম, প্রিয়, তুমিও করিও ক্ষমা
সুখ-দুখ-স্মৃতি না হয় রইলো কিছুটা মগজে জমা
রইলো না হয় ঘাসের সবুজ- আকাশের কিছু নীল
রইলো না হয় ঘুপচি ঘরের- "এই, এ কী অশ্লীল!"
রইলো না হয় হৃদয়ে-হৃদয়ে ছুঁয়োছুঁয়ি কানামাছি
আমার শহরে এসেছো যে তুমি- আমিও এখানে আছি...

আমার শহরে এসেছো যে তুমি- দুঃখ কি দিতে পারি?
নিলাম তুলে সব দোষ কাঁধে- ভুল সব আমারই
রেখে দিও শুধু লেগে থাকা স্মৃতি ঐ লাল কার্পেটে
ছুটির সকালে তৃষ্ণা মেটানো দুজনার ঠোঁটে ঠোঁটে
শরীরে-শরীরে খুঁজে যাওয়া মন- আমাদের বাঁচাবাঁচি
আমার শহরে এসেছো যে তুমি- আমিও এখানে আছি...

আমার শহরে এসেছো যে তুমি- কী আর দেবো প্রিয়?
তোমার জন্য এই কবিতা- চাও যদি তবে নিও
পারবো না দিতে আশ্লেষ আজ, পারবো না দিতে ফুল
পারবো না দিতে ফেলে আসা সেই বাহারি রঙের ভুল
রেখে দিও তাই রয়ে যাওয়া স্মৃতি হৃদয়ের কাছাকছি
আমার শহরে এসেছো যে তুমি- আমিও এখানে আছি...

আমার শহরে এসেছো যে তুমি- আমিও এখানে আছি...

এপিটাফ

যখন ছিলাম কাছেতে তোমার- নিলে না বন্ধু খবর...
এখন বুঝি পড়ল মনে? দেখতে আসলে কবর?
কিন্তু বন্ধু আমার যে আর নেই কোনও অনুভূতি,
নেই মনে আর জমে থাকা দুখ- হারানো দিনের তিথি!

এ কী বন্ধু! মুখ কালো কেন? ব্যথা পেলে বুঝি প্রাণে?
ব্যথা পেয় না বন্ধু আমার- এসো বসো এইখানে,
ও কী বন্ধু! ওদিকে কেন? শিয়রের কাছে এসো
দোহাই লাগে বন্ধু তোমার- একটুকু তুমি হাসো
অশ্রু অনেক দেখেছি, ফেলেছি- কিছুটা হয়তো নিজে,
কে জানে আমার বালিশটা আজ কার অশ্রুতে ভিজে!
বন্ধু আমার! আমি কেন আজ দুঃখের কথা বলি?
এসেছো যে তুমি এতোদিন পর- আজ থাক দুখগুলি...

ক্লান্ত হৃদয় আজ শুয়ে আছে মাটির নিচের খাটে,
এখন আমার অবসর বড়- ঘুমিয়েই দিন কাটে ।
রোদ বৃষ্টিতে ভাঙে না এ ঘুম- এ প্রাণ বড়ই ক্লান্ত,
ঘুমটা আমার প্রিয় ছিল খুব, আহা! যদি কেউ জানতো...

বন্ধু তোমার আসাতে জেনো আজ আড়মোড়া ভেঙে-
মনটা আবার রাঙিয়ে নিলাম তোমার মনের রঙে !

হয়তো তুমি চেনো না আমাকে- হয়তো কখনো আগে
দেখা হয়নি তোমার-আমার- তবুও প্রাণেতে লাগে?
হয়তো বন্ধু তুমি আর আমি হেঁটেছি সমান্তরাল,
চোখ তোলে শুধু হয়নি দেখাটা- ছিলাম অন্তরাল
হতেও পারে হেঁটেছি আমরা একই পথে হাত ধরে-
মনটাই শুধু ছোঁয়নি মনটা- ছিলাম অন্ধকারে।
অন্ধকারে আজো রয়েছি ঘাসের চাদরে শুয়ে-
কে জানে হয়তো নিজে লেগে আছি কিছুটা ঘাসেরও গায়ে !

পেছন ফিরে দেখো কী বন্ধু! এখনই ফিরবে ঘরে?
আর দুটো ক্ষণ বসো না বন্ধু! এলে কতদিন পরে !
বসো না বন্ধু! কতদিন হল বলিনি মনের কথা,
কতদিন হয় চারিদিকে শুধু- সুনসান নিরবতা ...
নিরবতা তুমি ভেঙে দিয়ে যদি আসলেই আজ শেষে-
শুনবে না আজ কথাটা আমার, একটু শিয়রে বসে?

বন্ধু, তোমার পায়ের আঘাতে পাতা করে মর্মর-
সেই শব্দে যে তৃষ্ণা মেটালো- পিপাসিত অন্তর !

আচ্ছা বন্ধু আজ তবে যাও- কাজেরা তোমায় ডাকে,
পারো যদি তুমি ফিরে এসো ফের তোমার কাজের ফাঁকে
ব্যস্ত আমিও ছিলাম একদা দুনিয়ার সুখ খুঁজে,
ঠিকানা হয়েছে মাটির এ খাট- তাই তো দুচোখ বোজে-
শুয়ে রয়েছি ঘাসের চাদরে- ব্যস্ত পথের ধারে,
কত কত লোক আসে আর যায়- কিছু লোক ভুল করে-
কখনো তাকায় আলস্যে আর কখনো সময় হলে...
পড়ে ফেলে কেউ পুরো কবিতাই- হয়তো মনের ভুলে!

পড়া শেষ হলে চলে যায় সব, আমি থাকি একা পড়ে,
দুটোক্ষণ শুধু আটকে রাখা- মৃতেরা কী আর পারে!
বন্ধু, তোমায় আটকে রাখার চেষ্টাও বৃথা হল-
তোমায় আটকে রাখা যে যাবে না- কবিতাও ফুরলো...

বৈরাগী

টানে না আমায় কিশোরী মেয়ের আনকোরা পড়া শাড়ি
টানে না আমায় প্রেমিকার দান- দুঃখেরা রকমারি,
টানে না আমায় প্রথম প্রণয়- বেসামাল অনুভূতি
টানে না আমায় মিথ্যে সাজানো বিরহ-মিলন তিথি..

টানে না আমায় প্রথম প্রেমিকা, প্রথম বারের প্রেম
টানে না আমায় মেকী সেই সুখ- খাঁদ মেশানো হেম,
টানে না আমায় ফড়িং ছানাটা- তারও বুকে অবিশ্বাস
টানে না আমায় অভিমান মাখা শীতের সবুজ দূর্বাঘাস..

টানে না আমায় টিভি পর্দাটা- সুখ-দুখ সবই অভিনয়
টানে না আমায় মোবাইল ফোনটা- দেহ আর মনে অবক্ষয়,
টানে না আমায় ভুলে ভরা এই ব্যর্থ প্রেমের বাজার-হাট
টানে না আমায় চকচকে জুতো, হাজার টাকার নতুন শার্ট..

টানে না আমায় ভ্রান্ত ভাবনা- টানে না অলীক বিশ্বাস
টানে না আমায় যদিও ফেলছি অহর্নিশি দীর্ঘশ্বাস,
টানে না আমায় তোমাদের এই মানুষ মাপার যন্ত্রটা
টানে না আমায় যদিও জানি প্রিয় হবার সে তন্ত্রটা..

টানে না আমায় ইট-পাথরে, যার নাম তুমি দিয়েছো ঘর
টানে না আমায় নিয়ম-নীতিরা হয়তো বলবে 'স্বার্থপর',
টানে না আমায় সংসার এই- মুখে হাসি বুকে বিষ
টানে না আমায় সমাজ স্বজন- তবু করি কুর্নিশ...

সাধের নিশ

ডাক ছেড়ে আজ কাঁদি চল্ না বুক লাগিয়ে বুকে
তোর দুঃখ আমায় দিবি- আমার দুখটা তোকে
আমার সুখ... যা সব তোর! ইচ্ছে হলে দিস্ ...
কী হতে কী হয়ে গেল হায়রে সাধের 'নিশ'!

নিশ, নিস তুই স্বপ্নটাও ইচ্ছে করে যদি
যতটুকুই জমিয়েছি রে- এইবেলা অবধি
তুই ছিলি তাই বেঁচে ছিলাম, হোক না ধুঁকে-ধুঁকে
ডাক ছেড়ে আজ কাঁদি চল না বুক লাগিয়ে বুকে...

তুই ছিলি তাই সবই ছিলি- হাসি ছিল ঠোঁটে
এখন রাত্রি-দুপুর শুধু বিষণ্নতাই জোটে
জোটে এখন মৃত্যুর সাধ হঠাতই মাঝরাতে
ড্রয়ারবন্দি বিষের বোতল ঠোঁট দুটো চায় ছুঁতে...

চাই ছুঁতে সেই দিনগুলো ফের, ইচ্ছে করে- ইশ্!
কেন রে সব এমন হল? হায় রে সাধের 'নিশ্'...
আয় না জড়াই আরেকটিবার, যাক না রে সব চুকে
ডাক ছেড়ে আয় কাঁদি চল না বুক লাগিয়ে বুকে...

আয় না সখি পাল্টে দেবো দুই জীবনের মানে
হাতটা শুধু এই হাতে রাখ, দু-নয়ন নয়নে !
পাল্টাতে তোর ইচ্ছে হলে আছি আমি- আসিস
দেখবি আজো এই আমিকে কত্ত ভালবাসিস...

আসবি না তুই জানি শুধু, আসবে চোখের জল
তবু ডাকছি তোকেই, জানিস কাব্য লেখা ছল...
তোর আমার এই বুকের দহন বুঝবে না রে লোকে
ডাক ছেড়ে আজ কাঁদি চল না বুক লাগিয়ে বুকে...

অন্বেষণ

তোমার মাঝে কিছু একটা ছিল যেটা হয়নি দেখা,
তোমার ভেতর হাতড়িয়েছি- সব ছুঁয়েছি- তবু যেন
পাইনি ছুঁতে অনেক কিছুই- সেটুক তোমার একলা-একার!

তোমার ঠোঁটে ঠোঁট রেখে রোজ পান করেছি আকণ্ঠ প্রেম
আশ্লেষে রোজ এক হয়েছি- তবু কোথাও কী নেই যেন!
আঙুল মাঝে আঙুল রেখে সকল দেবার আজব এ গেম-
খেলেই গেলাম; কথা ছিল হারবো না কেউ, তবু কেন-

হেরেই গেলাম? তুমি ঠিকই শুষে নিলে সবটা মধু-
সবটুকু প্রেম, শীতল জলও- তুমি কিছুই বাদ রাখোনি,
চোখের মাঝে চোখ রেখে রোজ দিয়েই আমি গেলাম শুধু
এঁকেই গেলাম একলা স্বপন- তুমি কিন্তু তা আঁকোনি।

স্বসন্দেহে সব নিয়েছো। সত্যি কি সব নিয়েছো আর?
কখনো কি বুঝবে তুমি- কী সুখ আছে সকল দেবার?

খোদার দোহাই

খোদার দোহাই! খোদার দোহাই!

ডায়রীর ঐ চ্যাপ্টা গোলাপ
বকওয়াজ সব প্রেমের প্রলাপ- 'এই আছে-নাই'!

আর টানে না, আর টানে না
আর টানে না- খোদার দোহাই!

স্বপ্ন ভাঙার ভ্রষ্ট শহর
অষ্টপ্রহর নাম ধরে রোজ
ডাকতো যেমন, আর ডাকে না
আর খুঁজি না নষ্ট নীরও

ইচ্ছে হলে তোমার, ফিরো
করবে ভীড়ও- নতুন তরুণ
বাড়িয়ে দিয়ে ফের এক গোলাপ
বলবে 'ধরুন, বরণ করুন'
নতুন তরুণ!

সে ফুলেরও জায়গা হতেই
পারে তোমার ডায়রী নতুন

ডায়রী চাপে নতুন ফুলও পিষ্ট হবে
অতিষ্ঠ হবে- ক্লিষ্ট হবে... আরেক গোলাপ
শুরু হবে নতুন প্রলাপ... প্রেমের প্রলাপ!

কিন্তু এ যে- 'এই আছে-নাই'
'এই আছে-নাই'!

তাই সে আমায় আর টানে না
আর টানে না...
আর টানে না... খোদার দোহাই !

বাম বুকে সে ছোট্ট অসুখ

কাজল দিয়ে ঢাকতে পারো চোখের নীচের কালো রেখা
ক্লাসের ফাঁকে ভাবতে পারো নেই তুমি আর একলা-একা
ভীড়ের মাঝে হাঁটতে গিয়ে ফের কোনও-দিন চোখেতে চোখ-
পড়লে পরে ফিরবে দেখো- বাম বুকে সে ছোট্ট অসুখ...

আগুনবতী

কোন বিরহীর ভাবে মজো, কাঁদো যে রোজ বুক চেপে
রঙবসন্ত আবার দেখাও- পাকাও প্রেমের সলতে ফের!

আগুন লাগুক শিমুলগাছে- আগুন ছুটুক দিক-বিদিক
নোনতা নদী যে বহালো- সে বাঁধ দেবার দিব্যি নিক!
আগুন দেখুক কৃষ্ণচূড়া- আগুন দেখুক হেমন্ত
আগুন দেখুক স্বয়ং খোদা- বলুক 'লীলা কেমন তর!'

অশ্রুমতী, আগুনবতী- বাঁধে কথা বলতে যে-
রঙবসন্ত আবার দেখাও- পাকাও প্রেমের সলতে ফের!

প্রেমিকজনে চিনুক তোমায়- তোমায় নিয়ে উঠুক মিথ্
আগুন দেখাও, আগুন দেখাও- আগুন ছাড়া যায় না শীত!
লু-হাওয়াতে দাও উড়িয়ে মনখারাপের ভস্ম-ছাই
পোড়াও তোমার প্রেমাগুনে- প্রেমহীন এই বিশ্বটাই!

নোনতা নদী যে নামালো- উঠুক তারও বুক কেঁপে-
রঙবসন্ত আবার দেখাও- পাকাও প্রেমের সলতে ফের !

মন-খারাপ

নামলে সন্ধ্যে এই পাড়ায়
বিষণ্ণতা হাত বাড়ায়
শোক করে যায় শুকতারা
সঙ্গী শুধু মন খারাপ

বিকেল হলেই কোন দূরে
কে যায় ডেকে নাম ধরে
পায়না শুনতে অন্যেরা
শুনছে সঙ্গী মন খারাপ

বাড়লে বয়েস সবাই কি
বন্ধু হারায় এমনটি?
ছোট্টকালের বন্ধুরাও
কাছেই- তবু নেই কোথাও

যেমন ছিল ছোট্টদি
একরোখা আর আহ্লাদী
এক ঝটকায় সব স্মৃতি
বিয়ের আজব রাজনীতি

রাজনীতিতে নেই আমি
বোধেরা সব বেনামি
অতীত মানেই বুকের ছাপ
বর্তমানের মন খারাপ

সদ্য কেনা হুডিটপ
নিচ্ছে চিনে টিয়ারড্রপ
শিউলি ফুলের গন্ধে ফের
নামছে পাড়ায় সন্ধ্যে ফের

নামুক সন্ধ্যে- নামুক রাত
নাই বাড়ালে তোমার হাত
শুকতারাটার শোক বিলাপ
শুনুক একাই- 'মন খারাপ'...

ক্ষমা করো

ক্ষমা করো, ক্ষমা করো
তোমার আমার ভুল-ভ্রান্তি সকল যদি জমা করো
আমার দিকেই পাল্লাখানি ঝুঁকে যাবে- ক্ষমা করো

সুখটা নিয়ে দুঃখ দিলাম
কোমল নিয়ে রুক্ষ দিলাম
ভালোর বদল নষ্ট দিলাম
এক জীবনে তোমায় শুধু কষ্ট দিলাম,
ক্ষমা করো

আলোর বদল কালো দিলাম
সুরের বদল নীরবতা
এক জীবনে তোমায় শুধু দিলাম ব্যথা-
ক্ষমা করো

আমার চোখে দিলে তুমি হীরে-পান্না
তার বদলে ঐ দুচোখে দিলাম কান্না,
ক্ষমা করো

তুমি আমায় জায়গা দিলে প্রাণের মাঝে
তোমায় আমি রাগের মাথায়
বলেছি কত আজেবাজে-
ক্ষমা করো

আমার যখন কেউ ছিল না তুমি ছিলে
পরদেশী এই আমার কাছে- আমার দেশের ভুমি ছিলে

যখন আমার জায়গা হয়নি কোনও দ্বারে,
তুমিই আমায় দিয়েছ ঠাঁই
নিমকহারাম আমিই শেষে তোমার মুখে দিয়েছি ছাই-
ক্ষমা করো

ক্ষমা করো, ক্ষমা করো
তোমার আমার ভুল-ভ্রান্তি সকল যদি জমা করো
আমার দিকেই পাল্লাখানি ঝুঁকে যাবে- ক্ষমা করো...

আমিই তোমার

আমিই তোমার সকালের রোদে মিষ্টি শুভ্র হাওয়া
আমিই তোমার জনমের সাধ, বাসনা 'তোমার হওয়া'
আমিই তোমার দিনের আলো- তোমার জীবনভর
আমিই তোমার আপন হয়েছি, আমিই হয়েছি পর
আমিই তোমার রাত্রিবেলার শরীরের ডাকা বান
আমিই তোমার দুপুরের রোদে আমাকে ভোলার ভান
আমিই তোমার জীবন, আমি তোমার প্রতি শ্বাসে
আমিই তোমার মৃত্যুর ডাক- কাছাকাছি যারা আসে
আমিই তোমার প্রথম-দ্বিতীয়, আমিই তোমার শেষ
আমিই তোমার পুরনো কবিতা, ফুরনো গানের রেশ
আমিই তোমার আধেক স্বপ্ন, আধেক বাস্তবতা
আমিই তোমার বলতে না পারা মনের গোপন কথা
আমিই তোমার পাঁজর কাঁপানো হঠাৎ দীর্ঘশ্বাস
আমিই তোমার ভুলের পসরা, ভাগ্যের পরিহাস
আমিই তোমার অবহেলা আর ঘৃণায় অসাবধানে
আমিই তোমার মাঝেতে মিশেছি মগজের কোণে কোণে
আমিই তোমার রক্তে মেশানো আজীবন হায় হায়
আমিই তোমার ছিড়ে যাওয়া ফুল- কী বা আর আসে যায়?
আমিই তোমার ক্লাসের ফাঁকে হঠাৎ মোবাইল দেখা
আমিই তোমার বুকের কাঁপন- ঠোঁটেতে হাসির রেখা

আমিই তোমার শুরু- কসম! আমিই তোমার সারা
আমিই তোমার হারানো প্রেমিক, কিংবা আসবে যারা!

পাথরকুচিমন

জানতি না তুই পাথরকুচি এ মন আমার?
ঝরা পাতার থেকেই আমি জন্মি আবার?

মাড়িয়ে আমায় দিবি কত? মরেছি ঢের!
মৃত আমার থেকেই আমি জন্মেছি ফের।

তুই এবারে সেই পাতাদের সঙ্গে ছিলি,
খুন করেও নতুন আমার জন্ম দিলি!

ঘুমভাঙানিয়া

ডাকলে কেন? ডাকলে কেন? ওমন করে ডাকলে কেন?
যখন আমি ভুলবো বলে... ওমন চেয়ে থাকলে কেন?

চোখের নীচে কাজল কালো ঘুমহীন দাগ বলল যখন
ঘুমোও এবার দুঃখ বণিক- ঘুমোও ক্ষণিক
চোখ দুটো ফের মেলিয়ে দিয়ে আবার স্বপ্ন আঁকলে কেন?

ওমন করে ডাকলে কেন? অসময়ে ডাকলে কেন?

মন-মগজে উড়ে উড়ে যখন শ্রান্ত প্রাণয় মাছি,
জানতে যখন আমি সূর্য না-ডুবার এক দেশে আছি
চোখের ওপর চোখটা তুমি আবার ওমন রাখলে কেন?

অসময়ে ডাকলে কেন? ওমন করে ডাকলে কেন?

অকালের চিঠি

পাঠিয়ে দিলাম তোমার নামে
ভালবাসা- হলদে খামে
কেমন আছো প্রিয়?

সময় হলে তোমার
পারলে একটা চিঠি দিও?

আমিও অনেক ভালো আছি
বাস্তবতায় বাঁচাবাঁচি
তোমার সময় যাচ্ছে কেমন?
পারো তো জানিও ...

সময় হলে তোমার
পারলে একটা চিঠি দিও?

জানতে বড় ইচ্ছে করে
কেমন আছে হলদে শাড়ি?
শাড়ি পড়া শিখে গেছো?
নাকি আজো খুব আনাড়ি?

তোমার চুলের ঘ্রাণের নেশায়
ডুবে কানের দোল?
অনাদরে কষ্টে আজো
কাঁদে নাকের ফুল?

জন্মদিনে তোমায় লেখা
সেই গানও কি একলা-একা?
অবহেলায় ড্রয়ারবন্দি
কষ্টে চিঠিটিও?

সময় হলে তোমার
পারলে একটা চিঠি দিও?

চাতক-আঁখি

কালসাপেরও দংশনে ঠিক ওঝা এসে বিষ নামায়
আজো আমি বিষের ভাগী- তোমার নামের তৃষ্ণা পায়!

বুঝবে লোকে? সাধ্যি লোকের? এমন কারও মন না তো
তৃষ্ণাতে যায় মারা ছোঁয় না অন্য বারি এই চাতক!

তৃষ্ণাতে যায় মারা চাতক- তবু মেঘের অপেক্ষা
চাতক চোখে চেয়ে আছি- দেখাও এসে উপেক্ষা!

ঝড় না নামাও, দেখাও তাকে কয়েক ফোঁটা মেঘের জল
না ধরা দাও- খুব ক্ষতি নেই, শেখাও এসে আবার ছল !

আবার যদি কষ্ট দিতে- কিংবা হেলা- ইশ্! আমায়,
আজো আমার এই অকালে তোমার নামের তৃষ্ণা পায় !

গল্প বলো

একাকী রাত কাটালে, বুকের কাছে কোলবালিশের চাপ
শিয়রে টেবিল ল্যাম্পে জমে থাকা বিষণ্ণতার দল-
অতীতে হাত দিয়েছো? পুড়বে তো হাত- তার যে ভীষণ তাপ
বুকেতে বুক লাগিয়ে এবার একটা নতুন গল্প বল!

তোষকে লেপ-চাদরে খুব আদরে খাচ্ছে অতীত উঁই
মগজে 'যাচ্ছি চলে', স্মৃতি বলে- 'এবার একটু থাম'-
হারানো সত্ত্বা এসে ডাকছে কাছে- বলছে 'তোকে ছুঁই?'
এবেলা থাক আড়ালে, হাত বাড়ালেই দুঃখ- বিধিবাম!

পাঠকে ভাবছে 'কবির খাম-খেয়ালী'- পড়ছেও তো ঠিক
কবিদের বিরাম যে নেই কাব্য লেখায় থাকলে হৃদয়-ঘাত-
তুমি তো জানই সবই- জীবন কবির কেমন যে ট্রেজিক
কবিদের দিন কিছু নেই, জীবন মানেই- আধাঁর ঢাকা রাত!

একাকী রাত কেটেছে- উইন্ডো-গ্লাসে কুয়াশাদের ঢল
সখি, আজ নে, বুকে নে, এবার একটি নতুন গল্প বল...

নষ্ট শহরের গান

একটা ওজর পাওয়া গেল, কবি-কবিতায় বসে শান দাও-
আমি ঘুমাই- হে শহর... পারলে একটা ভালো গান দাও...
আমি ক্লান্ত, আমি আশাহত- আজ একটু জিরোক প্রাণটা-
তোমার পায়ে পড়ি তুমি বদলাও- এই স্বপ্ন ভাঙার গানটা...

কেউ খুন হয়, কেউ খুন করে- রাখো সবারে বুকে আগলে-
আমি ঘুমাই, হে শহর- প্রাণে ব্যথা লাগে আজ জাগলে...
আমি শ্রান্ত, আমি লজ্জিত, গানই ঢাকুক এই লজ্জা
তোমার বুক জুড়ে আজ উৎসব, তোমার ঈদ এলো- সাজসজ্জা...

আমি নিরাশার দলে আজো আছি, আমি ভগ্ন অষ্টপ্রহর
তুমি তোমার মতই ভালো থেকো রোজ- আমার নষ্ট শহর...

(রাজন নামে একটি ছোট শিশুকে কিছু লোক প্রকাশ্যে, দিন-দুপুরে পিটিয়ে মেরে ফেলেছিল। এর দু-তিন দিন পরেই ঈদ ছিল। প্রচন্ড রকমের ধাক্কা লেগেছিল সেদিন। রাগ বা ব্যথা নিয়ে এই কবিতা লিখিনি। লিখেছি লজ্জা পেয়ে। আমরা মানুষ!)

বানভাসি

তারও শহরের ছিল কোলাহল, ছিল রিকশার টানা ক্রিং-ক্রিং
তারও শ্রাবণের ছিল শ্রাবণী, টিনে একরোখা রিন্- রিন্-ঝিন্
তারও লোডশেডিঙের রাত্তিরে গালে জমা হত বারিবিন্দু
তারও মোমের আলো ও আঁধারে হাতে শোভা পেত শীর্ষেন্দু
তারও সাধ ছিল যাবে সাগরে, গায়ে মাখবে সেও নোনা জল
তারও আশা ছিল শুধু একদিন, পুরো একদিন সুখে বিহ্বল

তারও শীতের সকালে প্রতিদিন- মিঠে রোদ জমা হত জানলায়
তারও কবিতারা ছিল ছন্দে, সেও গান গেয়ে যেত বাংলায়
তারও কেটেছে সময় পুকুরের পাড়ে পা দুটি ডুবিয়ে নীরবে
তারও দেহ জুড়ে ছিল অবসাদ, সেও ভেবেছিল কভু জিরোবে
তারও চোখ জুড়ে ছিল পিপাসা, আর বুক জুড়ে ছিল কথারা
তারও সোনালী কোনও বিকেলে- সেও ভেবেছিল হবে পথ হারা

তারও সন্ধ্যে নামলে উঠোনে- রোজ পসরা বসাতো জোনাকি
তারও সাজ মানে ছিল হাসিটাই- সে জানতো না হীরে-সোনা কী
তারও দিনগুলো ছিল রূপালি, কতো রাত কেটেছিল গল্পে
তারও কথা শুনে যেত নোটবুক, তার কথা লিখে যেত বলপেন
তারও সুখ ছিল খুব সহজাত, মুখে হাসি এনে দিতো রিংটোন
তারও হৃদয়ের কাছে ছিল কেউ, কেউ তাকেও একদা চিনতো

তারও লাল ছিল কিছু গোলাপে, তারও নীল ছিল কিছু আকাশে
তারও ডানা ছিল দুটি স্বপ্নের, শুধু পারেনি মেলতে পাখা সে...

খনক

দিনের শেষে সব চলে যায়, ছাপ রয়ে যায় বুকে
কিছু কিছু মানুষ বোধয় বাঁচেই ধুঁকে-ধুঁকে

কাল যে ছিল, আসবে কি আর? হৃদয় মাঝার জুড়ে-
খনক হয়ে কবর খুঁড়ি আপনজনের তরে..

পায়ে যেন পাথর বাঁধা- বুকটা শুন্য ফাঁকা
অনেক কষ্টে চোখের জলও আটকে না যায় রাখা

দিনের শেষে সব চলে যায়- বুকে থাকে চিন্..
কিছু কিছু জীবন বোধয় এমনই অর্থহীন...

ভালোবেসেইছিলাম

কথাটা ভিন্ন ছিল কিন্তু আমি জেদি ছিলাম খুব
তুমিও খুব সোয়ানা, ভেসে উঠে পরক্ষণেই ডুব!

আমিতো তোমায় খুঁজে পাগল হয়ে রাস্তা মেপেছি
আমিতো কিশোর আমার বুকের ভেতর অনেক চেপেছি!

নাটাইয়ে টান দিয়েছো ইচ্ছেমত, আবার ক্ষণেই 'লুজ'
আমিতো তোমার মনের 'ভাও' বুঝিনি, রোজ মরেছি, রোজ!

আমি তো পাথরকুচি পাতার মতই- পাতা থেকেই গাছ
আবারো যেতাম ছুটে সেই আগুনে, যে আগুনের আঁচ-

পুড়াতো আমায়, আমার ছাই উড়াতো পশ্চিম আর পুব
কেননা তোমায় ভালোবেসেই ছিলাম- খোদার কসম, খুব!

মিলন হবে কতদিনে

কে ডাকে হাত ইশারায়
হেসে যায় রাই-বিশাখায়
বাতাসে ফের মিশে যায়
ছাই হৃদয়ের এই অদিনে

কবেকার কাব্যগাঁথা
খেয়ালী গানের খাতা
স্বপ্নের জোঁক চোষে খায়
কার যে রক্ত- মন-মননে

বিরহের চাদর জড়ায়
টপাটপ কষ্ট গড়ায়
গালেতে দাগ থেকে যায়
কোন সে কালের অন্তরে টান

সেও পা দেয়না টোপে
হুতাশন ধরায় ধোপে
উদাসী ধোঁয়া উড়ায়-
'উড়িয়ে দিলাম, মন তরে যা'

হৃদয়ের অসুখ- চেকাপ
সহজেই হচ্ছে মেক-আপ
আজ এখন যায় সয়ে চাপ
ইচ্ছে শখে- শোকও পালন

কে করে ফের ইশারা?
কে ডাকে? দেয় কে সাড়া?
জোছনায় এই শহরে
কার বিরহে গাইছে লালন-

'মিলন হবে কতদিনে
আমার মনের মানুষেরও সনে'...

বর্তমানে

শরীর ঠাসা বিচ্যুতি ভয়, মন কি বল আর শর্ত মানে?
অতীত পোকা খাচ্ছে আমায়, তোকে খেলো বর্তমানে!
হৃদয় জুড়ে চলছে আকাল, চাইলে তবু মন তো মিলে?
ছন্দ ছাড়া জীবন যেমন, কাব্য তবু অন্ত্যমিলে!
অতীত পোকা সকল খেলো- খাক এবারে ভবিষ্যতও
যা হয়েছে, যা হবে হোক- চলতিটা থাক অবিক্ষত!
তবু কেন ভুল হয়ে যায়? ভাল্লাগে না- ধুত্তরি ছাই
চাইছি যেমন এখন তোকে- মরলে জানিস ভুত তোরই চাই!
যা ইচ্ছা যা ভাবিস যা তোর- নতুন সুরটা ধর তো গানে
অতীত পোকা সকল খেলো- এবার বাঁচি বর্তমানে!

কী ছিলে আমার

তুমি ছিলে আমার প্রাণের মাঝে- ছিলে মনের কথা
তুমি ছিলে আমার ভাষাবিহীন প্রাণের আকুলতা
তুমিই আমার ক্ষুধার রাজ্যে হয়েছিলে অন্ন
আমি অনন্তবার জন্ম নেবো তোমায় দেখার জন্য
আমার রাত্রি জাগা একলা প্রহর, মৌন সে মিছিলে
আমার একলা একটা আকাশ জুড়ে শুধুই তুমি ছিলে

তুমি ছিলে যখন কৈশোর শেষে পা রাখি যৌবনে
তুমি ওমন করে ডাকলে এসে আমায় তপোবনে
আমার উঠোন জুড়ে স্বপ্নের রোদ তুমিই তো ছড়ালে
আমার চাতক মনে বৃষ্টির জল তুমিই তো ঝরালে
আমার জীবন-মাঝির বৈঠাখানি তুমিই এনে দিলে
আমার একলা একা বালুচরে তুমিই এসেছিলে

আমি বুঝেছি তো বাঁচার মানে তোমার চোখটা দেখে
আমি বেঁচে থাকি তোমার ছবি বুকের মাঝে রেখে
তুমি ছিলে আমার গানের কথা, আমার গানের সুর
আমি এই তোমাকেই ভেবে ভেবে রাত্রি করি ভোর
আমার অতীত- বর্তমান আর, আমার আগামী
আমার ভুবন জুড়ে ছিলে, আছো, রবে তুমি ...

বিদায়

চলে যাবার ক্ষণ এসেছে প্রিয়া-
ধরো হাতটা, ঠোঁটটা মেলাও ঠোঁটে,
আশার এ ফুল হায়রে দরদিয়া-
তোমার আমার বিরহেই যেন ফোটে..

চলে যাবার ক্ষণ এসেছে প্রিয়া-
তোমার শ্বাসটা মেলাও আমার শ্বাসে,
এক হয়ে যাক সমস্ত দুনিয়া-
তোমার-আমার বিদায়ের আশ্লেষে..

বিদায়! -সে তো নিয়েছি আগেও অনেক-
এই তোমাতেই এসেছি ফিরে ফিরে,
কখনো ঘন্টা- কখনো সপ্তাখানেক-
নবজন্মে, কখনো 'চুরাশি' ঘুরে ..

ঘুরে ফিরে সেই তোমার কাছেই আসা-
বাঁধা দিক যত এই পৃথিবীর লোক,
তোমার আমার বিরহেই যদি আশা-
হোক তবে প্রিয়া, বিচ্ছেদই ফের হোক ..

তবুও এই বিদায়ের ক্ষণে, প্রিয়া-
পৃথিবীর সব বেদনা হৃদয়ে জুটে ,
তবুও এই বিদায়ের ক্ষণে- হিয়া-
আশ্লেষ চায়, তাতে যদি সাধ মেটে

আশ্লেষ চায়, তাতে যদি সাধ মেটে ...